Nuestro pl

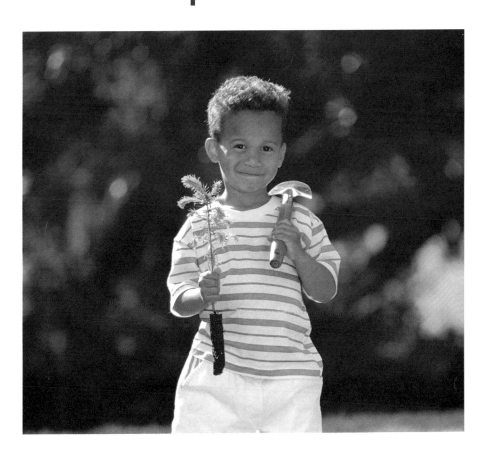

Lisa Trumbauer

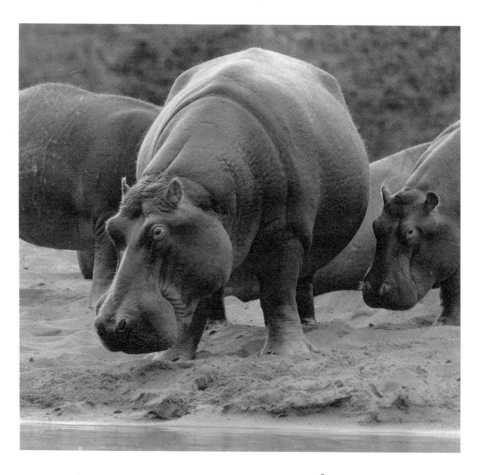

Nuestra Tierra es hogar de animales grandes

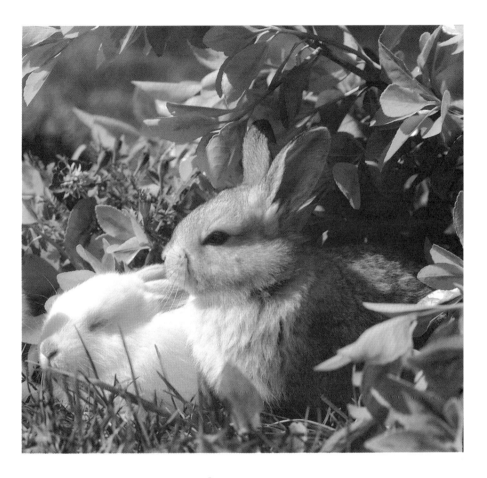

y animales pequeños,

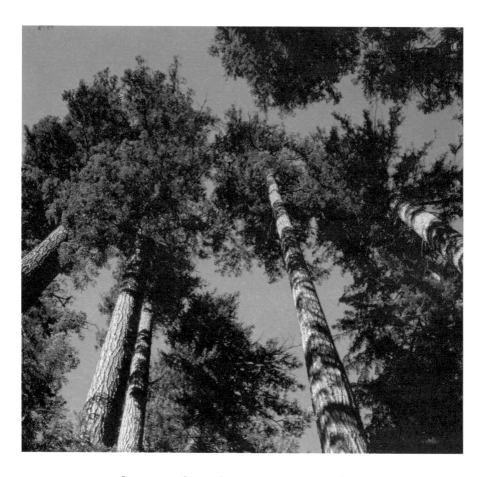

de árboles grandes

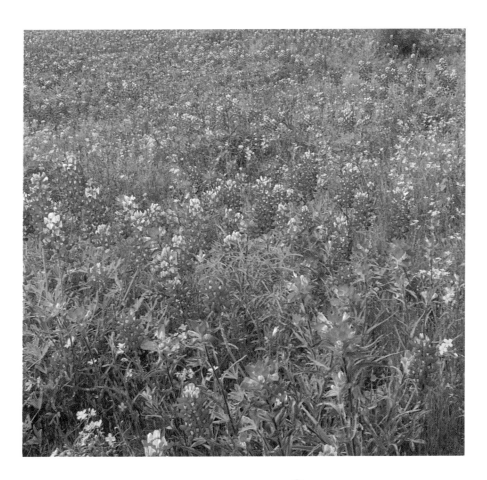

y pequeñas flores.

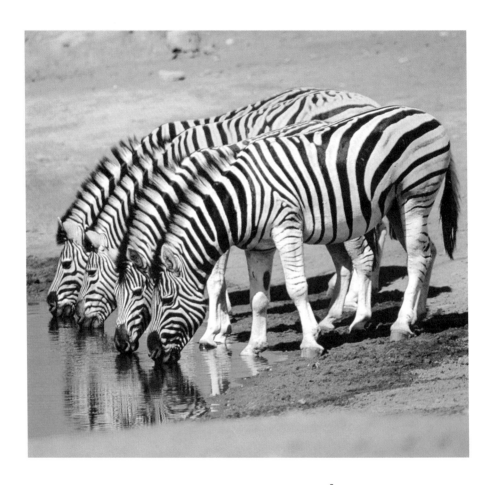

Nuestra Tierra nos da agua,

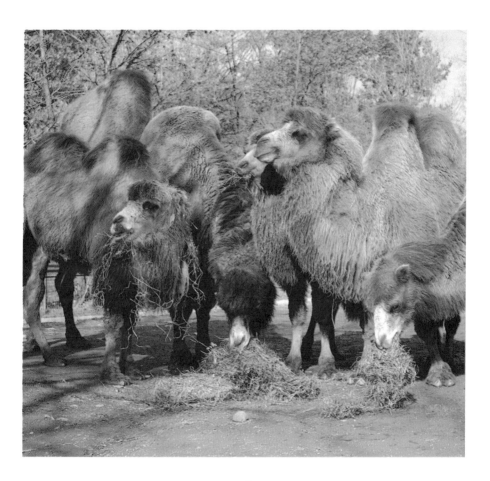

aire y alimento.

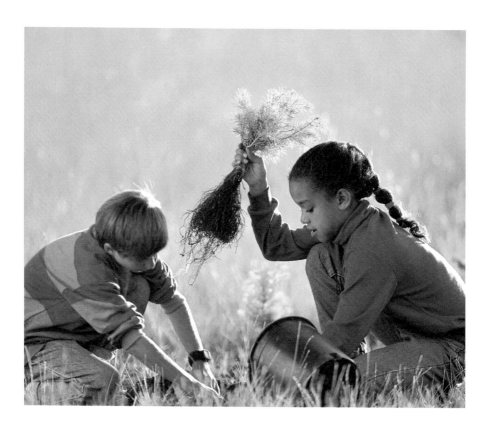

Nuestra Tierra nos cuida a todos.
¡Gracias Tierra!